1 ロボットの名前《なまえ》

ロボットの名前《なまえ》です。ワークシートの「わたしは、」ではじまる文《ぶん》を書《か》くときに、ここを見《み》ましょう。

2 「こんなロボットです。」

どんなロボットか、かんたんにせつ明《めい》しています。ワークシートの「このロボットは、」ではじまる文《ぶん》を書《か》くときに、ここをさん考《こう》にしましょう。

3 「どんなときに、何《なに》をたすけてくれるのでしょうか。」

ロボットが、どのようにはたらくかが書《か》かれています。ワークシートの「このロボットがあれば、」を書《か》くときに、ここをさん考《こう》にしましょう。

4 ロボットのはたらき

どこに、どのようなはたらきがあるかが書《か》かれています。ワークシートの「このロボットがあれば、」を書《か》くときに、ここをさん考《こう》にしましょう。

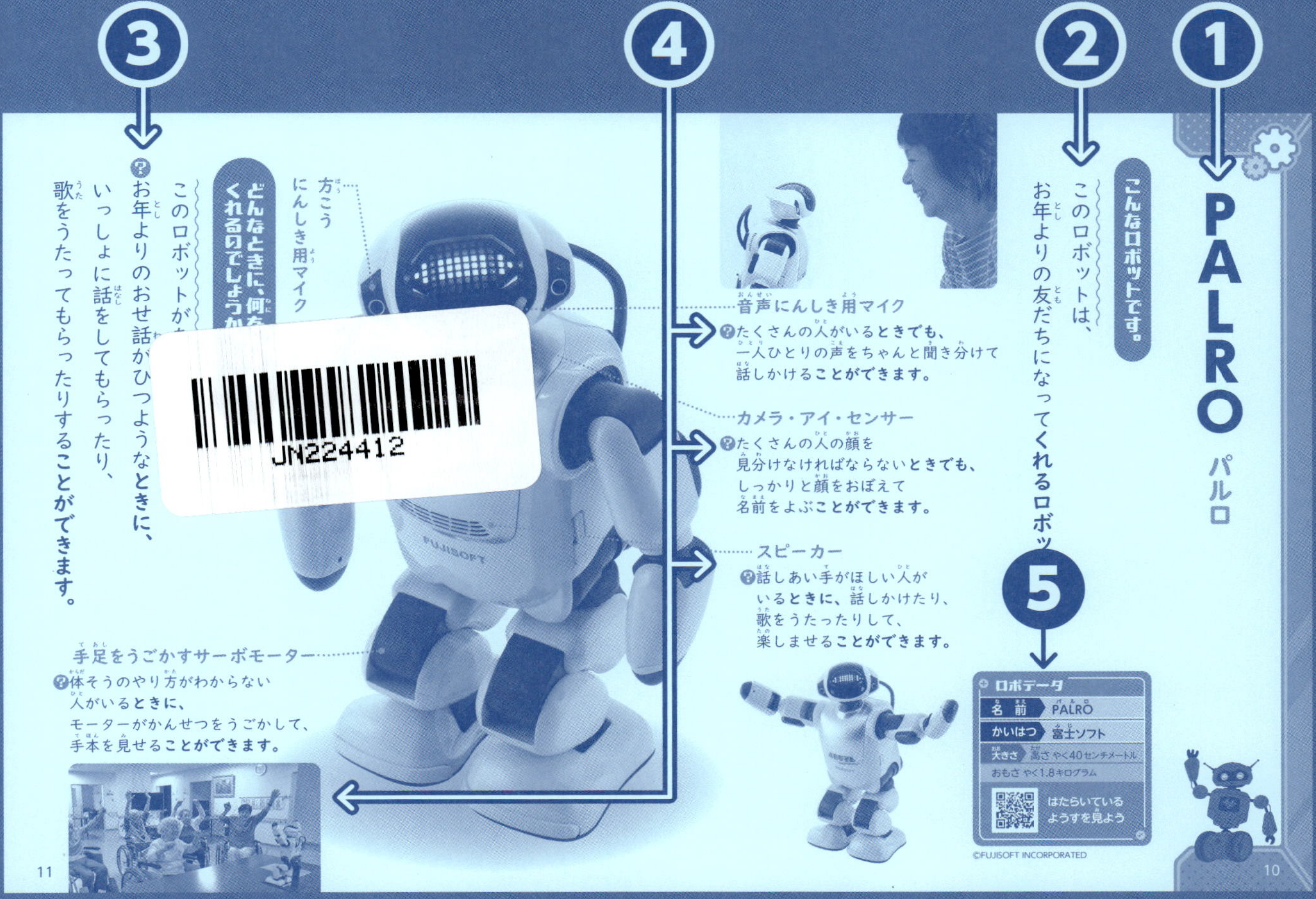

1
2
3
4
5
PALRO
パルロ
こんなロボットです。
このロボットは、お年よりの友だちになってくれるロボッ
音声にんしき用マイク
たくさんの人がいるときでも、一人ひとりの声をちゃんと聞き分けて話しかけることができます。
カメラ・アイ・センサー
たくさんの人の顔を見分けなければならないときでも、しっかりと顔をおぼえて名前をよぶことができます。
スピーカー
話しあい手がほしい人がいるときに、話しかけたり、歌をうたったりして、楽しませることができます。
ロボデータ
名前 PALRO
かいはつ 富士ソフト
大きさ 高さ やく40センチメートル
おもさ やく1.8キログラム
はたらいているようすを見よう
©FUJISOFT INCORPORATED
方こう にんしき用マイク
どんなときに、何をたすけてくれるのでしょうか
このロボットがあ
お年よりのおせ話がひつようなときに、いっしょに話をしてもらったり、歌をうたってもらったりすることができます。
手足をうごかすサーボモーター
体そうのやり方がわからない人がいるときに、モーターがかんせつをうごかして、手本を見せることができます。
FUJISOFT
11
10

みんなをたすける

ロボットずかん

2

町《まち》・学校《がっこう》

監修《かんしゅう》

先川原正浩《さきがわらまさひろ》

千葉工業大学未来《ちばこうぎょうだいがくみらい》ロボット技術研究《ぎじゅつけんきゅう》センター(fuRo《フューロ》)室長《しつちょう》

汐文社

ちょうぶんしゃ

はじめに

さあ、ロボットのことをしらべましょう！

ロボットは、わたしたちをたすけてくれる、
かしこいきかいです。
この『みんなをたすける　ロボットずかん』シリーズには、
さまざまな場《ば》しょで人《ひと》をたすけてくれる
ロボットたちがとう場《じょう》します。
それぞれのロボットは、どこがすごいのか、
どんなときに、何《なに》をしてたすけてくれるのかをしらべ、
これからどんなロボットがひつようになるかについて、
いっしょに考《かんが》えてみましょう！

この本《ほん》では、「町《まち》・学校《がっこう》」でみんなをたすけてくれるロボットを、
しょうかいしています。
みなさんがくらしている町《まち》、べん強《きょう》をしている学校《がっこう》では、
どんなロボットが活《かつ》やくしているのでしょうか。

もくじ

店《みせ》ではたらく

お年《とし》よりのしせつではたらく

人《ひと》のあつまる場《ば》しょではたらく

会社《かいしゃ》ではたらく

通《とお》りではたらく

公園《こうえん》ではたらく

教室《きょうしつ》ではたらく

コラム

＊ロボデータの下《した》の©をつけたものは、
それぞれのしゃしんのていきょう先《さき》の名前《なまえ》です。

どう画《が》などが見《み》られるQR《キューアール》コードのつかい方《かた》

この本《ほん》には、それぞれのロボットのデータがわかる「ロボデータ」というコーナーがあります。そこにロボットのようすを見《み》ることができるQR《キューアール》コードをのせています。見《み》たいときは、スマートフォンやタブレットのカメラでQR《キューアール》コードを読《よ》みとってください。

＊QRコードは、(株)デンソーウェーヴの登録商標です。

ソフトクリームロボット

こんなロボットです。

このロボットは、
ソフトクリームを作《つく》ってくれるロボットです。

「どうぞ！」とおしゃべり

おきゃくさんを
またせてしまった**ときでも、**
「どうぞ」と声《こえ》をかけて、
楽《たの》しい気《き》もちにする**ことができます。**

じゅうりょうセンサーつき ロボットハンド

きれいにソフトクリームを
作《つく》らなければならない**ときに、**
おもさをはかるセンサーがはたらいて、
くるくるじょうずに
まく**ことができます。**

ロボデータ

名《な》前《まえ》	ソフトクリームロボット
かいはつ	コネクテッドロボティクス
大《おお》きさ	高《たか》さ やく92センチメートル
	おもさ やく10キログラム

はたらいているようすを見《み》よう

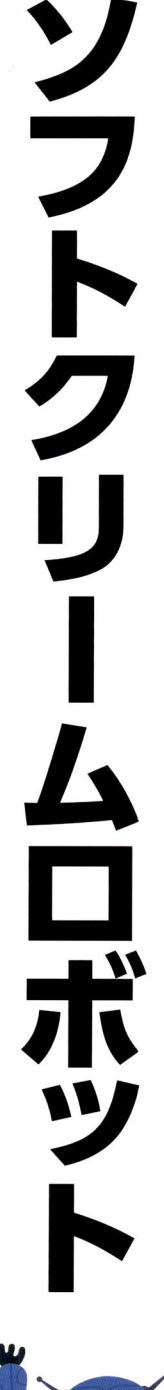

どんなときに、何《なに》をたすけてくれるのでしょうか。

このロボットがあれば、

?店《みせ》がこんでいる**ときでも、**

ソフトクリームを

すぐに買《か》って、

食《た》べる**ことができます。**

牛《うし》がたや犬《いぬ》がたに交《こう》かんできるどう体《たい》

むきをかえてうごくどう体《たい》

?店《みせ》がせまい**ときでも、**
どう体《たい》を回《かい》てんさせながら、
場《ば》しょをとらずに
ソフトクリームを
作《つく》る**ことができます。**

クレープロボットQ

クレープロボット キュー

こんなロボットです。

このロボットは、
クレープを
やいて**くれるロボットです。**

どんなときに、何《なに》をたすけてくれるのでしょうか。

このロボットがあれば、
じょうずにクレープをやく人《ひと》が
いない**ときでも、**おいしいクレープを
食《た》べる**ことができます。**

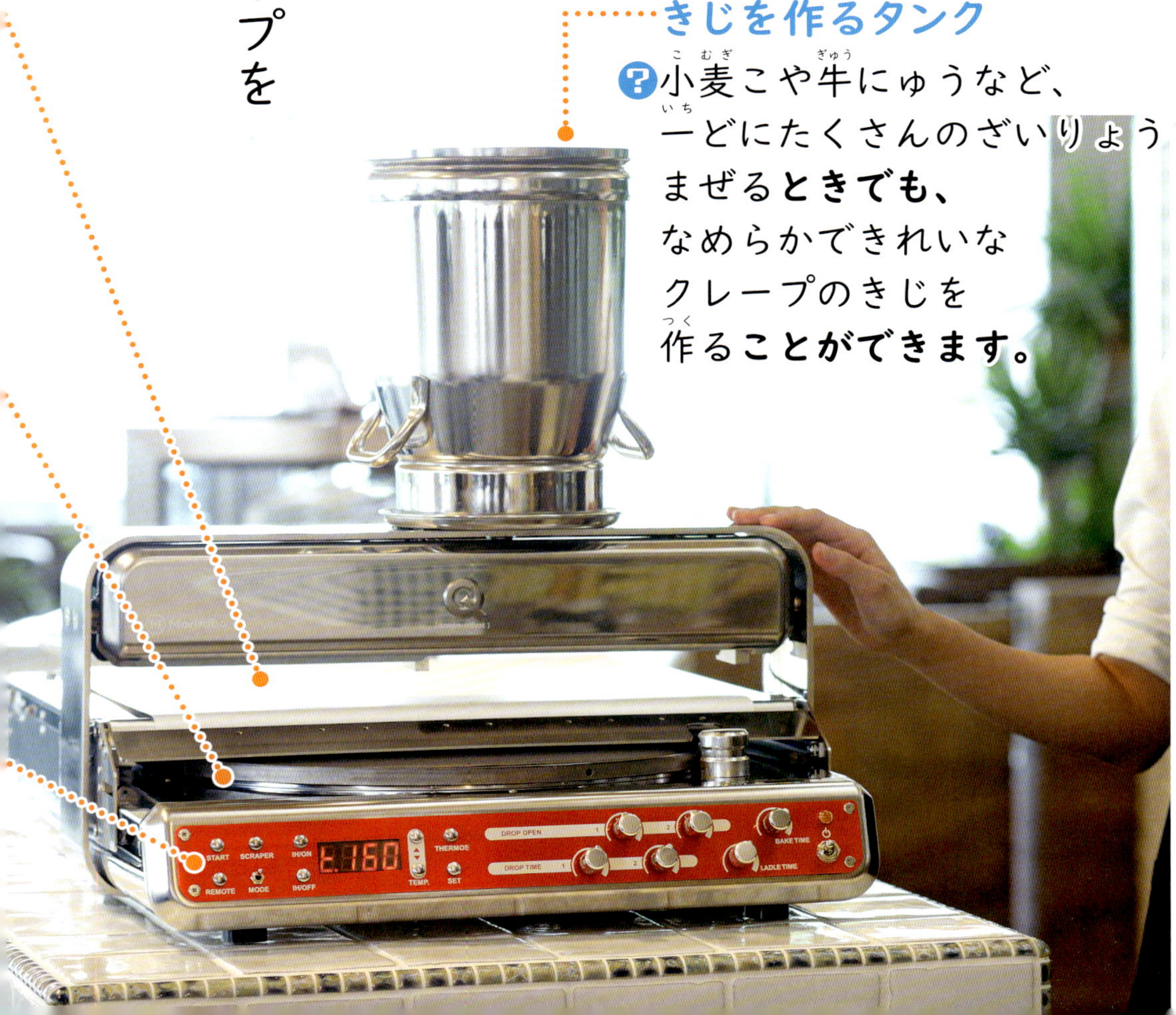

きじを作《つく》るタンク

小麦《こむぎ》こや牛《ぎゅう》にゅうなど、
一《いち》どにたくさんのざいりょうを
まぜる**ときでも、**
なめらかできれいな
クレープのきじを
作《つく》る**ことができます。**

やき上《あ》がった三色《さんしょく》のクレープきじ

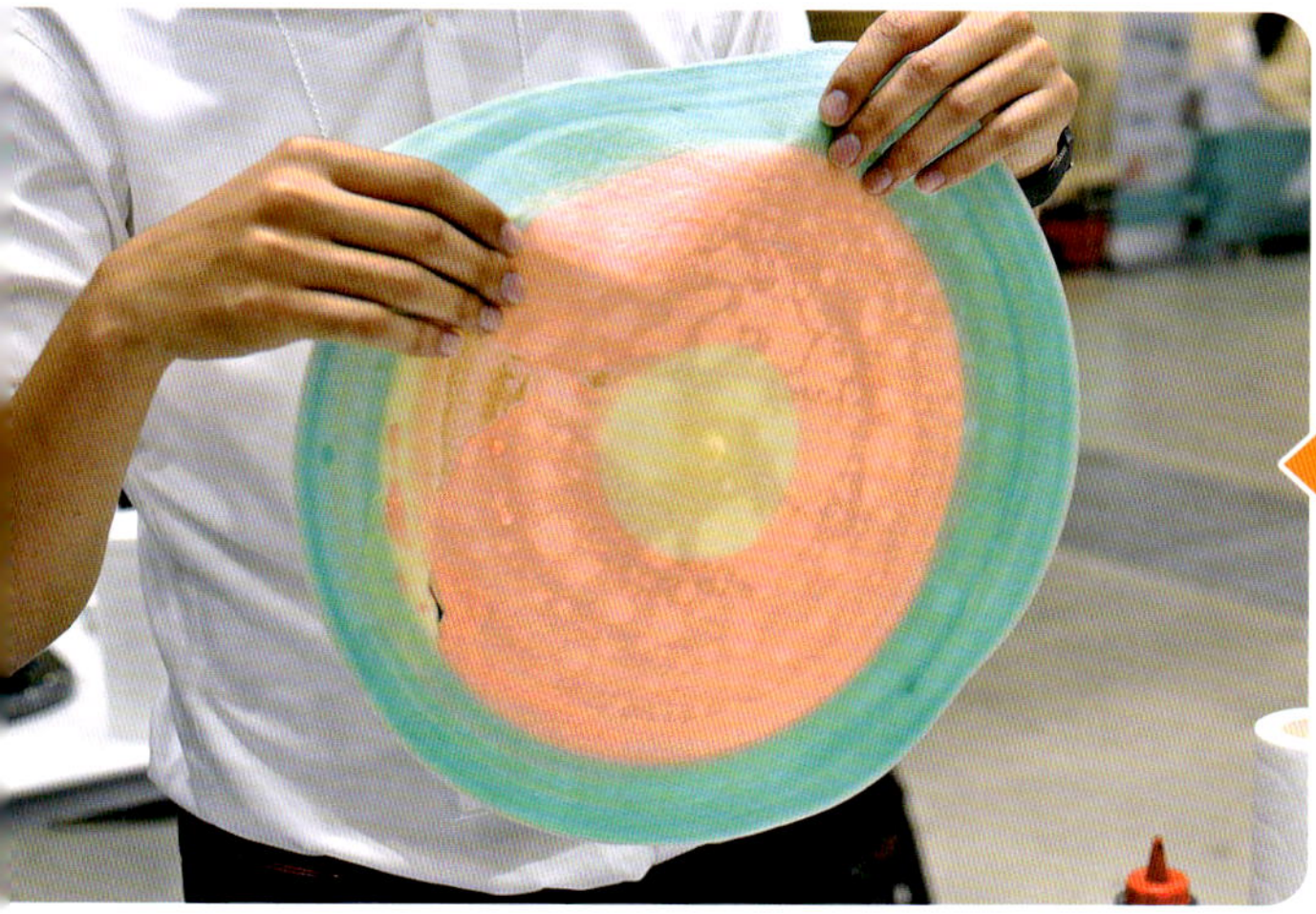

きじとり出《だ》し台《だい》

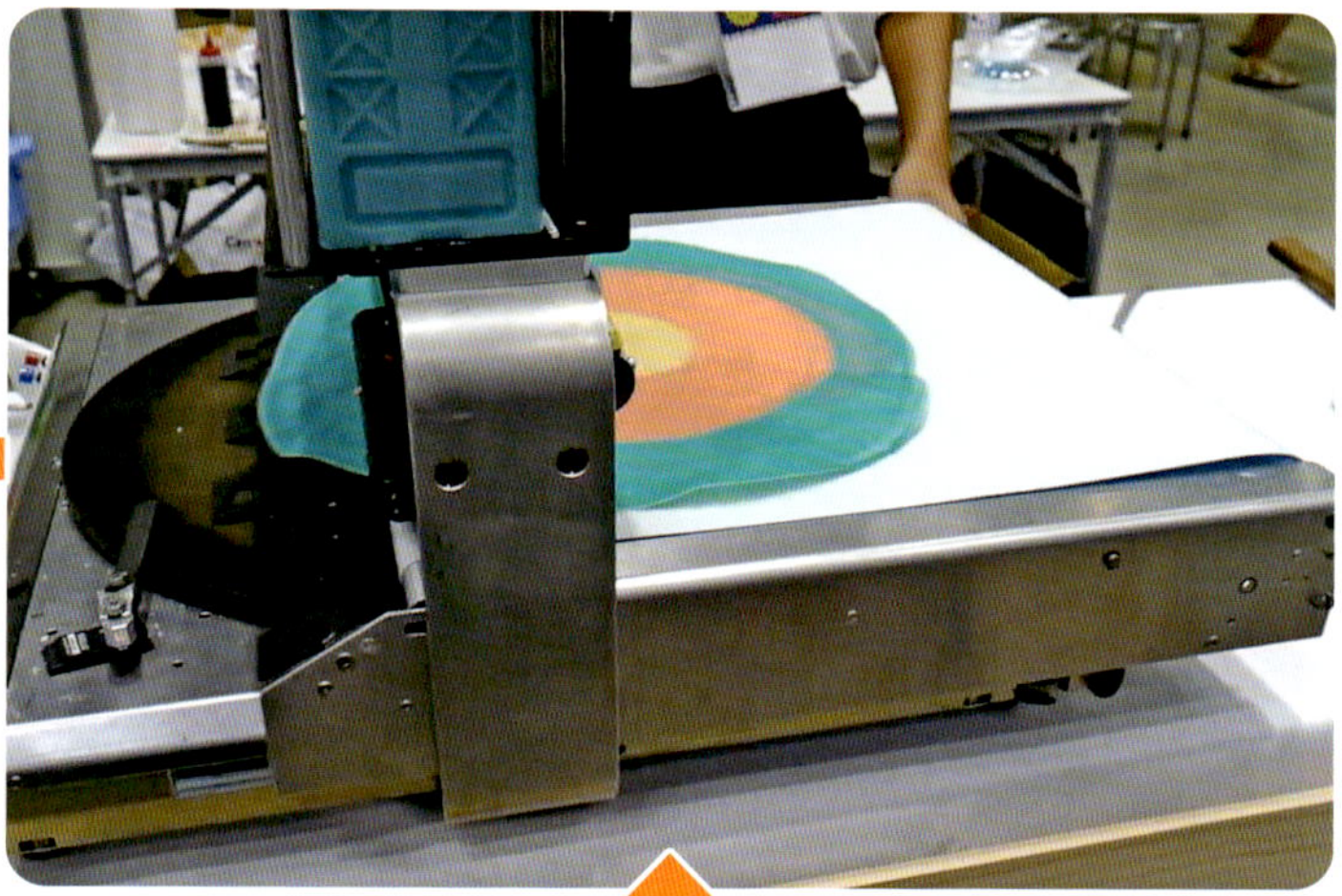

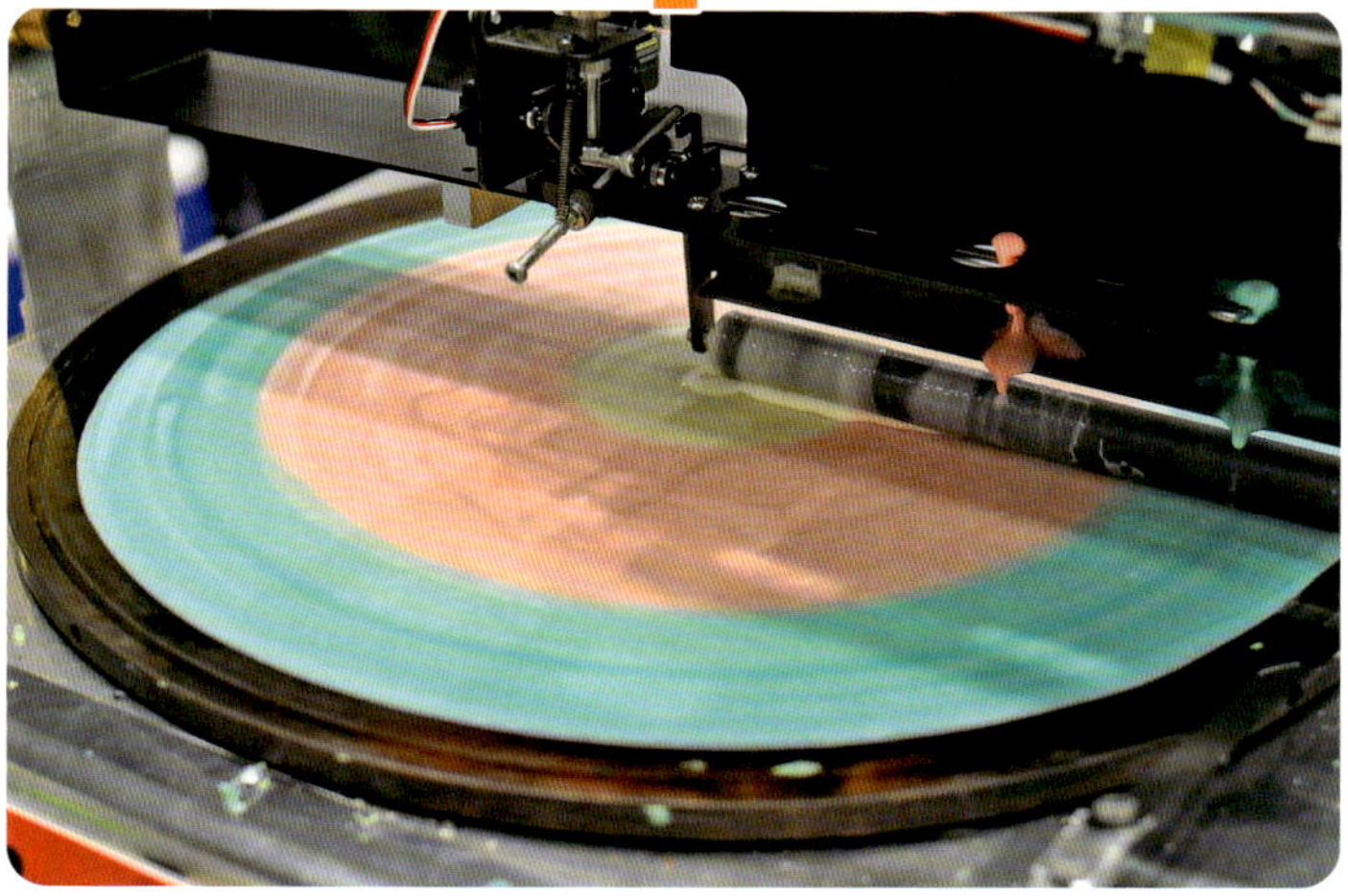

きじをやくやき台《だい》

?たくさんのきじをやく**ときに、**一《いち》まい一《いち》まいていねいに、うすく丸《まる》くのばしてやく**ことができます。**

そう作《さ》スイッチ

?いそいで作《つく》らなければいけない**ときでも、**スイッチをおすだけで、かんたんにきじをやき上《あ》げる**ことができます。**

ロボデータ

名《な》前《まえ》	クレープロボットQ《キュー》
かいはつ	モリロボ
大《おお》きさ	はば やく53センチメートル
	おもさ やく35キログラム

はたらいているようすを見《み》よう

Servi サービィ

こんなロボットです。

このロボットは、りょう理《り》やのみものをはこんで**くれるロボットです。**

おきゃくさんに話《はな》しかけるスピーカー

? りょう理《り》やのみものを作《つく》るのがおそくなった**ときに、**「おまたせしました」とあいさつしてから、せきにとどける**ことができます。**

いどうするときに
みどり色《いろ》に光《ひか》るLED《エルイーディー》ライト

どんなときに、何《なに》をたすけてくれるのでしょうか。

このロボットがあれば、店《みせ》がこみ合《あ》っている**ときでも、**またされることなく、できたてのりょう理《り》を食《た》べる**ことができます。**

かんたんそう作《さ》のディスプレイ

店《みせ》がいそがしい**ときでも、**まちがえずにりょう理《り》やのみものをせきにとどける**ことができます。**

りょう理《り》をはこぶトレー

はこぶりょう理《り》がたくさんある**ときに、**一回《いっかい》にまとめてとどける**ことができます。**

しょうとつをふせぐセンサー

りょう理《り》やのみものをせまい通《つう》ろをつかってはこぶ**ときでも、**まわりのようすをはんだんしながら、すばやくはこぶ**ことができます。**

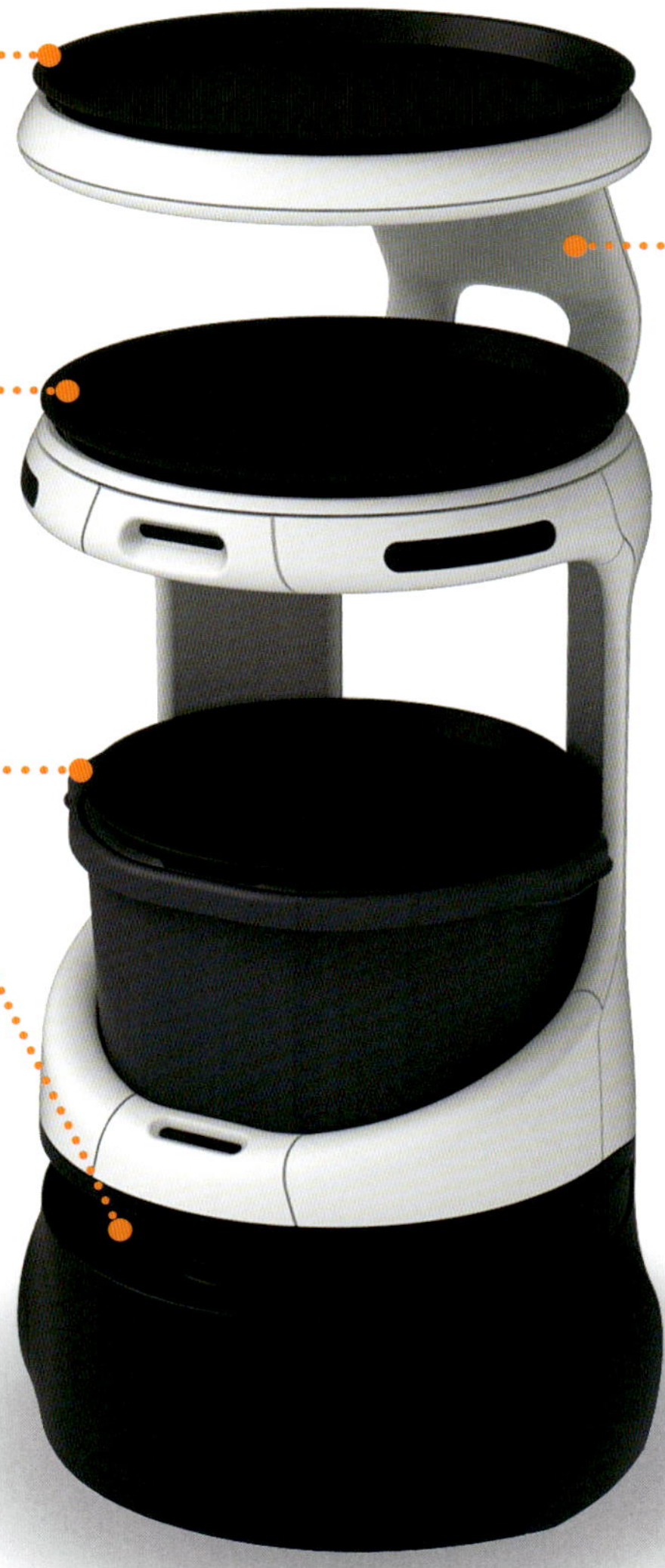

ロボデータ

名前《なまえ》	Servi《サービィ》
かいはつ	ベア・ロボティクス
大《おお》きさ	高《たか》さ やく100センチメートル
	おもさ やく35キログラム

はたらいているようすを見《み》よう

PALRO

パルロ

こんなロボットです。

このロボットは、お年《とし》よりの友《とも》だちになって**くれるロボットです。**

音声《おんせい》にんしき用《よう》マイク

たくさんの人《ひと》がいる**ときでも、**一人《ひとり》ひとりの声《こえ》をちゃんと聞《き》き分《わ》けて話《はな》しかける**ことができます。**

カメラ・アイ・センサー

たくさんの人《ひと》の顔《かお》を見《み》分《わ》けなければならない**ときでも、**しっかりと顔《かお》をおぼえて名前《なまえ》をよぶ**ことができます。**

スピーカー

話《はな》しあい手《て》がほしい人《ひと》がいる**ときに、**話《はな》しかけたり、歌《うた》をうたったりして、楽《たの》しませる**ことができます。**

ロボデータ

名《な》前《まえ》	PALRO《パルロ》
かいはつ	富士《ふじ》ソフト
大《おお》きさ	高《たか》さ やく40センチメートル
	おもさ やく1.8キログラム

はたらいているようすを見《み》よう

方《ほう》こうにんしき用《よう》マイク

どんなときに、何《なに》をたすけてくれるのでしょうか。

このロボットがあれば、
?お年《とし》よりのおせ話《わ》がひつような**ときに、**
いっしょに話《はなし》をしてもらったり、
歌《うた》をうたってもらったりする**ことができます。**

手足《てあし》をうごかすサーボモーター

?体《からだ》そうのやり方《かた》がわからない
人《ひと》がいる**ときに、**
モーターがかんせつをうごかして、
手本《てほん》を見《み》せる**ことができます。**

ケパラン

こんなロボットです。

このロボットは、いろいろなひょうじょうやうごきを見《み》せて人《ひと》を楽《たの》しませて**くれるロボットです。**

どんなときに、何《なに》をたすけてくれるのでしょうか。

このロボットがあれば、一人《ひとり》でさみしい人《ひと》がいる**ときに、**おどったり、わらったりしてもらう**ことができます。**

カメラシステム

みんなのはんのうを見《み》て学《がく》しゅうする頭《ず》のう

ふわふわの毛《け》がわ

ウインクする目《め》のディスプレイ

?なかよくしてほしい人《ひと》がいる**ときに、**「ウインクして」とおねがいすると、かわいくウインクして、よろこばせる**ことができます。**

かたむきや力《ちから》をはかるセンサー

?はげましてほしい人《ひと》がいる**ときに、**「ダンスを見《み》せて」とおねがいすると、センサーとモーターがはたらいて、じょうずにおどって楽《たの》しませる**ことができます。**

ロボデータ

名《な》前《まえ》	ケパラン
かいはつ	日本《にっぽん》科《か》学《がく》未《み》来《らい》館《かん》
大《おお》きさ	高《たか》さ やく70センチメートル
	おもさ やく13キログラム

はたらいているようすを見《み》よう

EMIEW3
エミュースリー

こんなロボットです。

このロボットは、
せつ明《めい》やあん内《ない》をして**くれるロボットです。**

どんなときに、何《なに》をたすけてくれるのでしょうか。

このロボットがあれば、
店《みせ》や空《くう》こうなどの目《もく》てきの場《ば》しょが
わからない**ときに、**道《みち》を教《おし》えてもらったり、
つれて行《い》ってもらったり
する**ことができます。**

ころんでも立《た》ち上《あ》がれる手《て》

ロボデータ

名《な》前《まえ》	EMIEW《エミュー》3《スリー》
かいはつ	日《ひ》立《たち》製《せい》作《さく》所《しょ》
大《おお》きさ	高《たか》さ やく90センチメートル
	おもさ やく15キログラム

はたらいている
ようすを見《み》よう

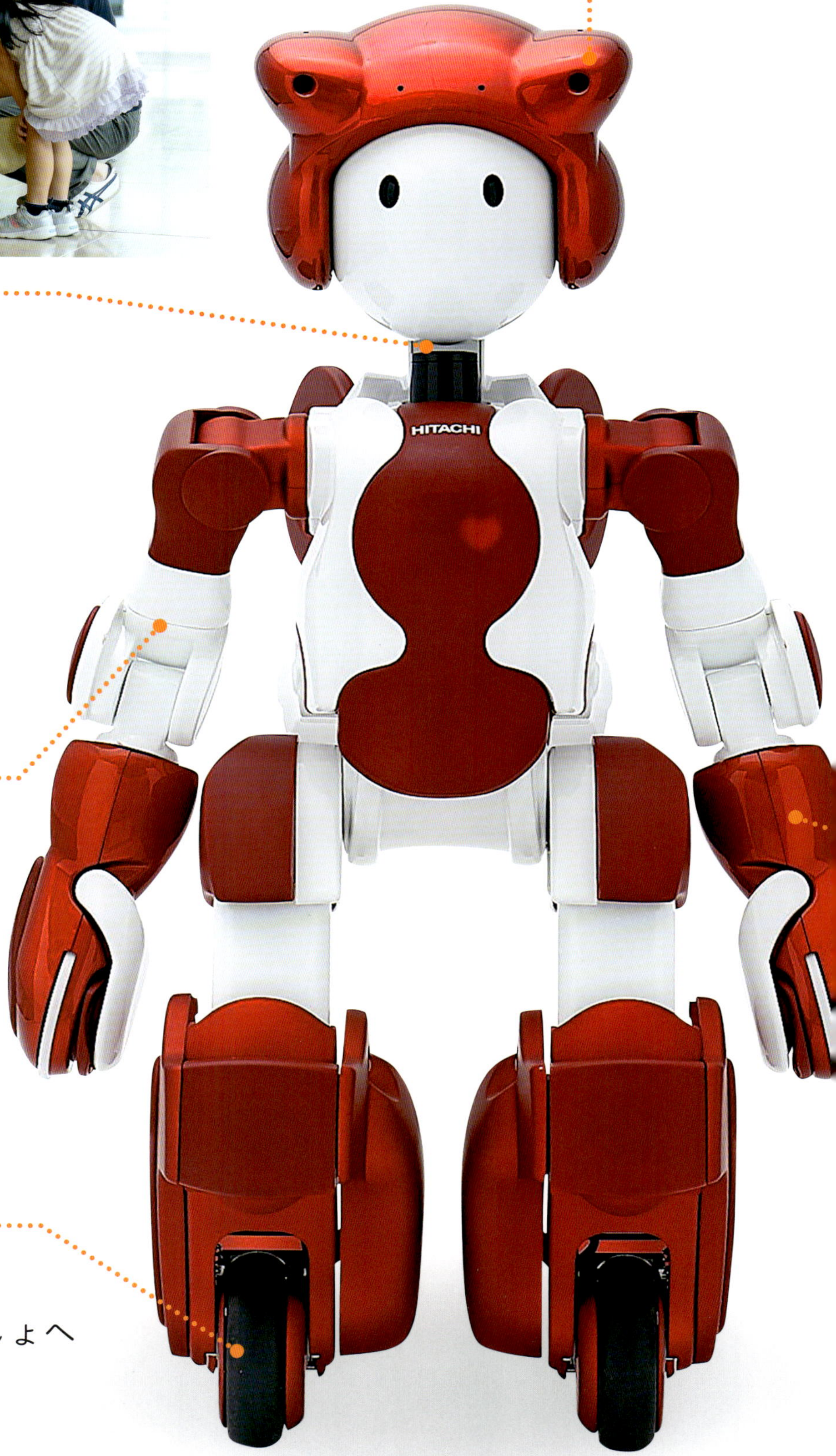

さまざまな言《こと》ばで話《はな》す
スピーカーとマイク

外国《がいこく》の人《ひと》に
しつもんされた**ときでも、**
えい語《ご》や中国語《ちゅうごくご》で
答《こた》える**ことができます。**

人《ひと》のうでのように
うごくアーム

言《こと》ばが通《つう》じない**ときでも、**
うでを上《あ》げたり、
広《ひろ》げたりして
コミュニケーションを
とる**ことができます。**

いどうのための車《しゃ》りん

あん内《ない》がひつような人《ひと》が
来《き》た**ときに、**目《もく》てきの場《ば》しょへ
すばやくつれて行《い》く
ことができます。

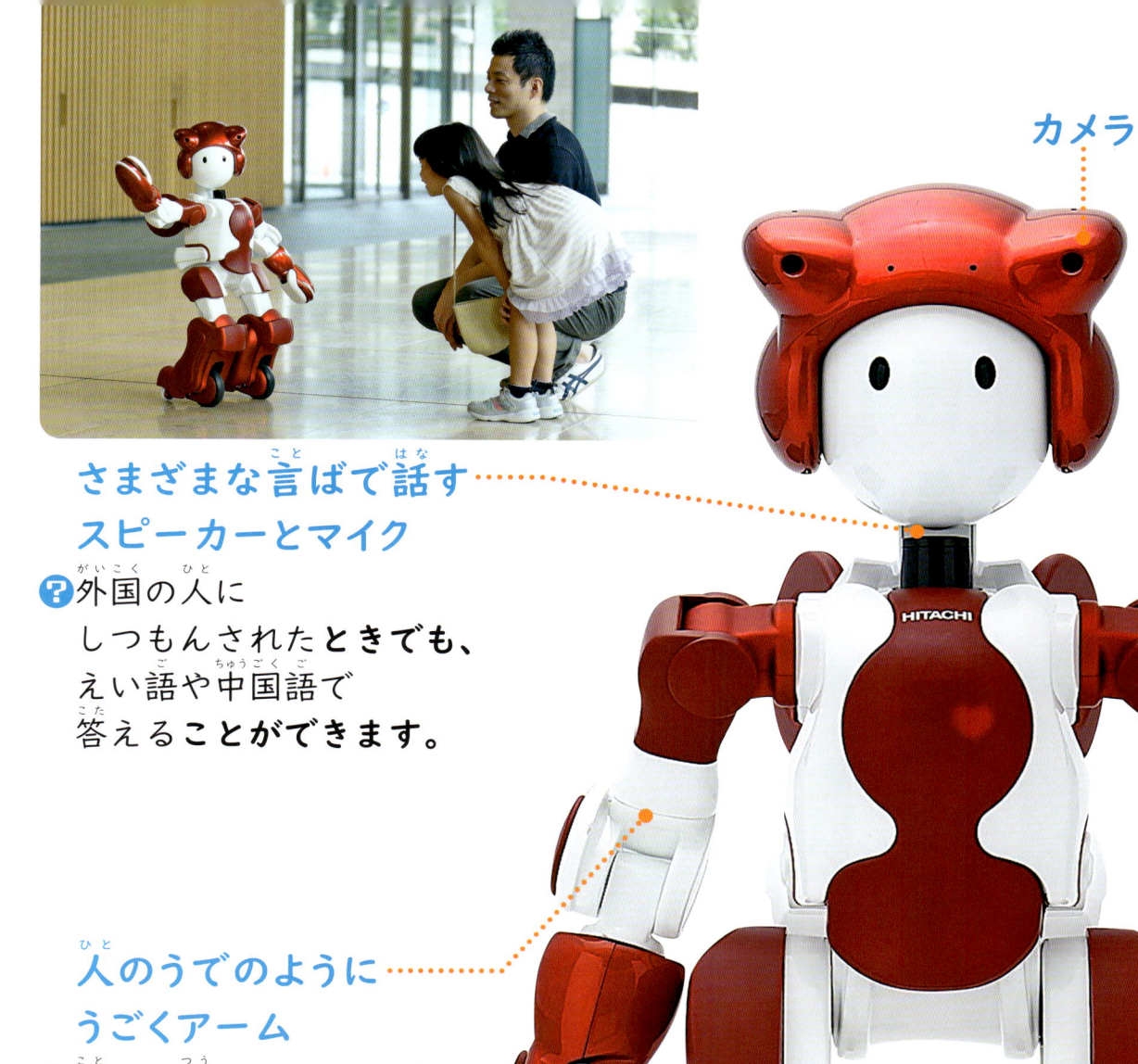

ugo ユーゴー

こんなロボットです。

このロボットは、見回《みまわ》りをしてくれるロボットです。

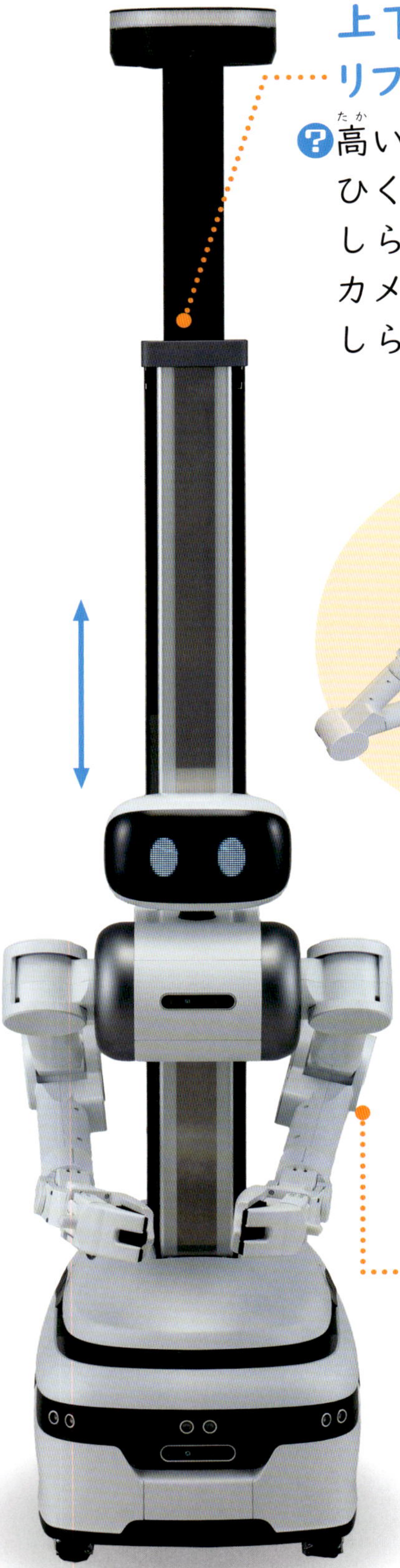

上下《じょうげ》にうごくリフターユニット

高《たか》いところや、ひくいところをしらべる**ときに、**カメラの高《たか》さをかえてしらべる**ことができます。**

アーム用《よう》のモーター

人《ひと》のようなうごきをすることをもとめられた**ときに、**じょうずにアームをうごかしてまねる**ことができます。**

どんなときに、何《なに》をたすけてくれるのでしょうか。

このロボットがあれば、

❓高《たか》くて広《ひろ》いビルにいる**ときでも、**エレベーターをつかってけいびしてもらう**ことができます。**

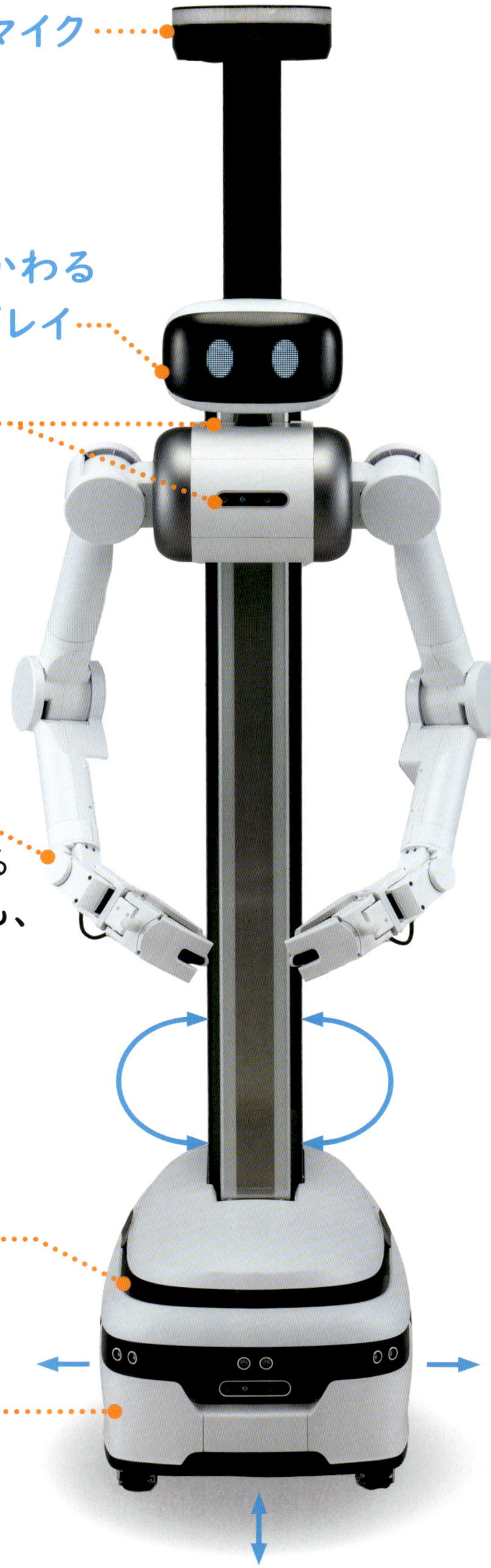

マイク
目《め》の形《かたち》がかわる顔《かお》ディスプレイ
カメラ
小《ち》さなボタンもおせるアーム
スピーカー
自《じ》ゆうにうごき回《まわ》るカート

❓たくさんのかいがあるビルを見回《みまわ》る**ときでも、**小《ち》さなボタンをおせるうでで、エレベーターをそう作《さ》して見回《みまわ》る**ことができます。**

ロボデータ

名《な》前《まえ》	ugo《ユーゴー》
かいはつ	ugo《ユーゴー》
大《おお》きさ	高《たか》さ やく180センチメートル
	おもさ やく54キログラム

はたらいているようすを見《み》よう

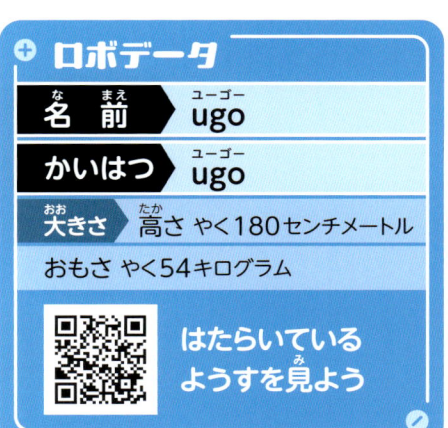

cocobo ココボ

こんなロボットです。

このロボットは、けいびをして**くれるロボットです。**

どんなときに、何《なに》をたすけてくれるのでしょうか。

このロボットがあれば、

? 空《くう》こうなどを見回《みまわ》りして、たおれた人《ひと》を見《み》つけた**ときに、**ぼうさいセンターのけいびいんにつたえてもらう**ことができます。**

はつえんそうち

? あやしい人《ひと》を見《み》つけた**ときに、**光《ひかり》や声《こえ》、けむりを出《だ》してこわい人《ひと》をおい出《だ》す**ことができます。**

ロボデータ

名前《なまえ》	cocobo《ココボ》
かいはつ	セコム
大《おお》きさ	高《たか》さ やく125センチメートル
	おもさ やく160キログラム

はたらいているようすを見《み》よう

©セコム

ぜん方《ほう》いカメラ

人《ひと》やものが通《とお》ってぶつかりそうな場《ば》しょをけいびする**ときでも、**カメラやセンサーがはたらき、立《た》ち止《ど》まったりよけたりして、あんぜんに見回《みまわ》る**ことができます。**

マイク

3D《スリーディー》ライダー

文字《もじ》をうつし出《だ》せるディスプレイ

スピーカー

見回《みまわ》り中《ちゅう》に何《なに》かあった**ときに、**音《おと》や声《こえ》をカメラとマイクでぼうさいセンターにとどけたり、あい手《て》にむかって話《はな》しかけたりする**ことができます。**

ヘッドライト

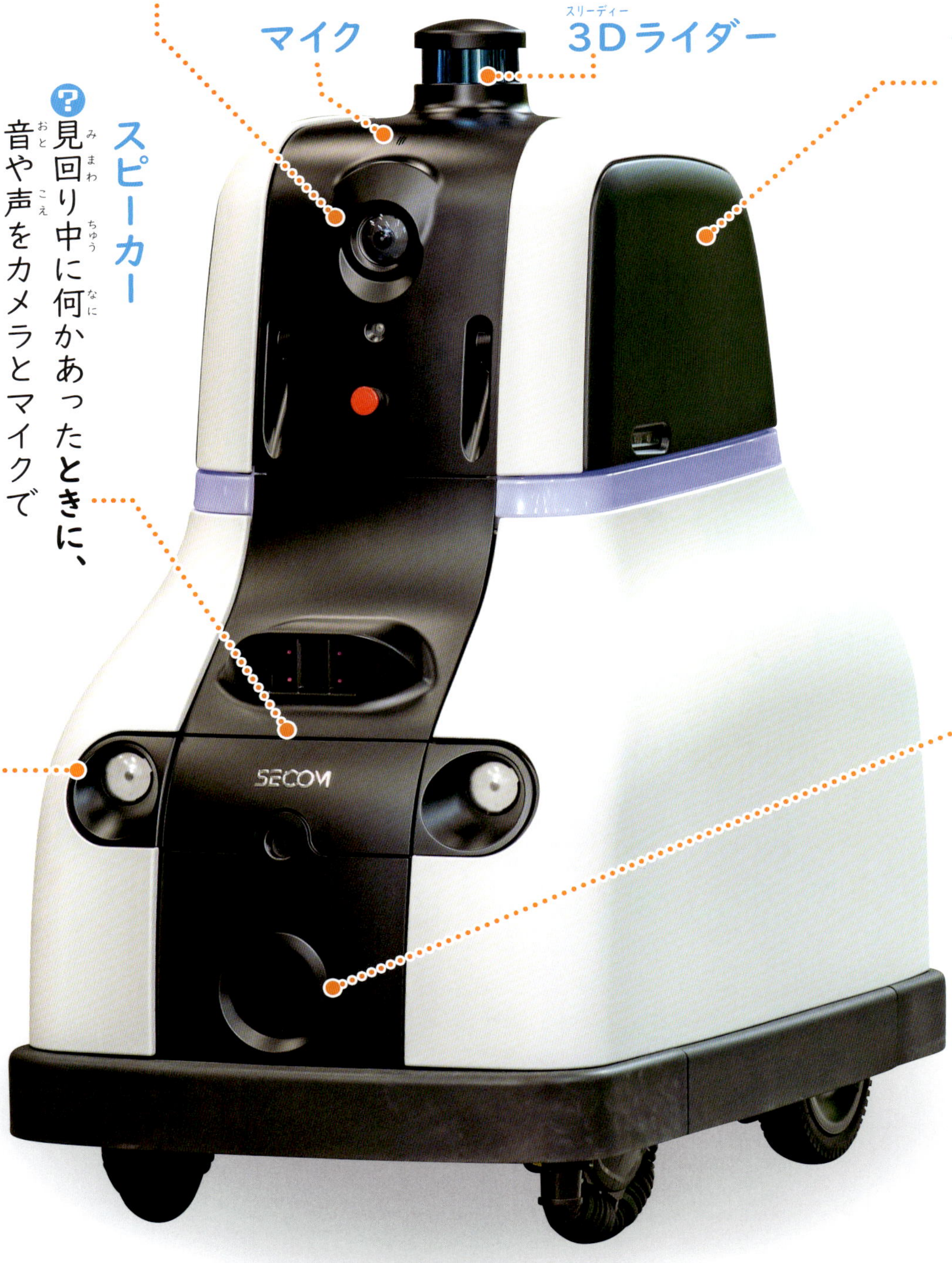

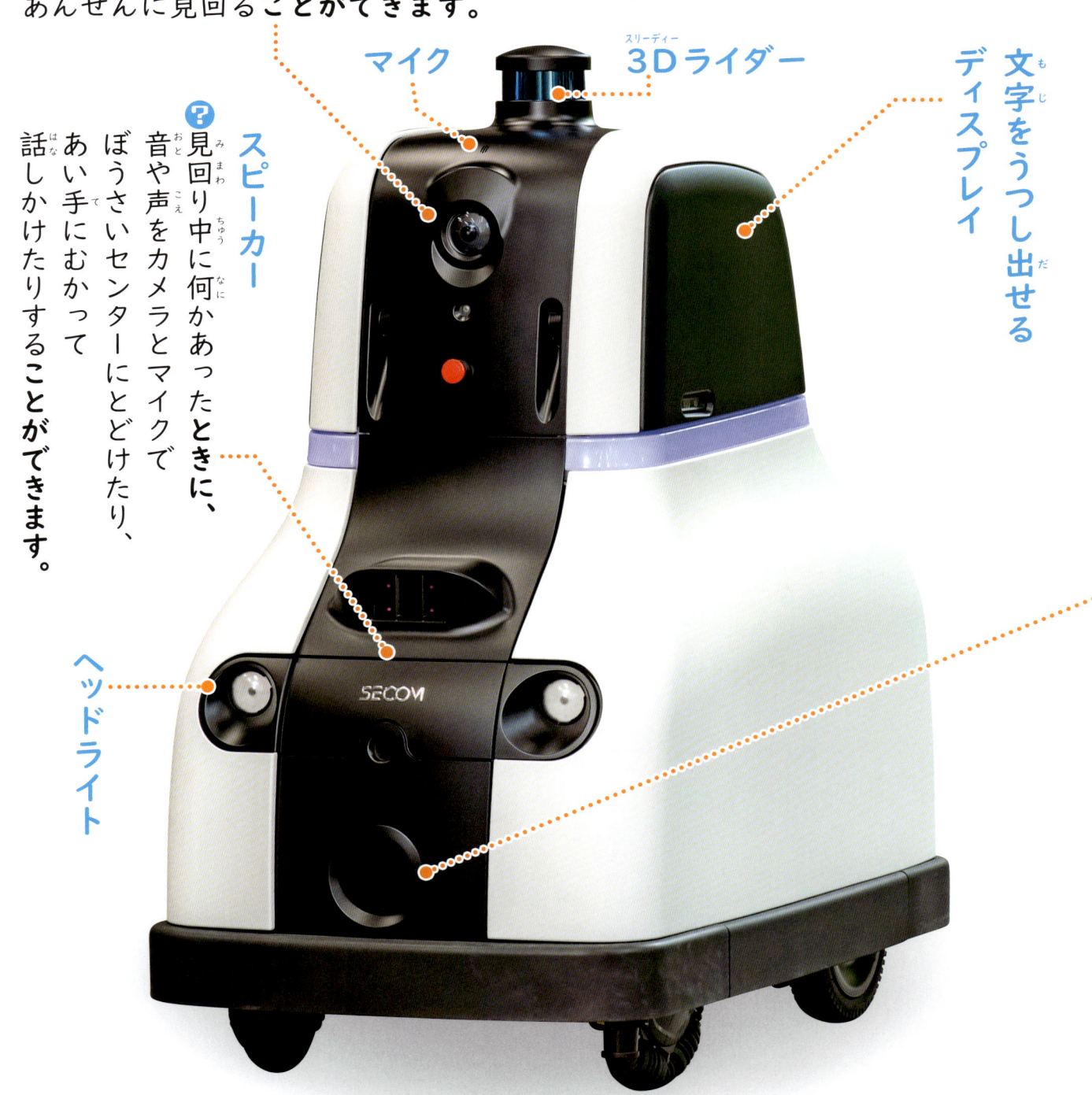

DeliRo
デリロ

こんなロボットです。

このロボットは、はいたつをして**くれるロボットです。**

どんなときに、何《なに》をたすけてくれるのでしょうか。

このロボットがあれば、

?はいたつする人《ひと》がいない**ときでも、**あんぜんににもつをうけとる**ことができます。**

にもつ室《しつ》

?一《いち》どにたくさんのにもつをはこぶ**ときに、**おもさ五十《ごじっ》キログラムまでのせて、はいたつをする**ことができます。**

車《しゃ》りん

?広《ひろ》い町《まち》をはいたつする**ときに、**おとなより少《すこ》しはやい時《じ》そく六《ろっ》キロメートルでうごいてくばる**ことができます。**

©ZMP

ロボデータ

名《な》前《まえ》	DeliRo《デリロ》
かいはつ	ZMP《ゼットエムピー》
大《おお》きさ	高《たか》さ やく110センチメートル
	おもさ 120キログラム

はたらいているようすを見《み》よう

あんぜんに すすむためのセンサー

？おうだん歩道《ほどう》をわたってくばる**ときに、**この3D《スリーディー》センサーやカメラが前後左右《ぜんごさゆう》をかくにんして、赤《あか》しんごう、青《あお》しんごうをまもっていどうしてくばる**ことができます。**

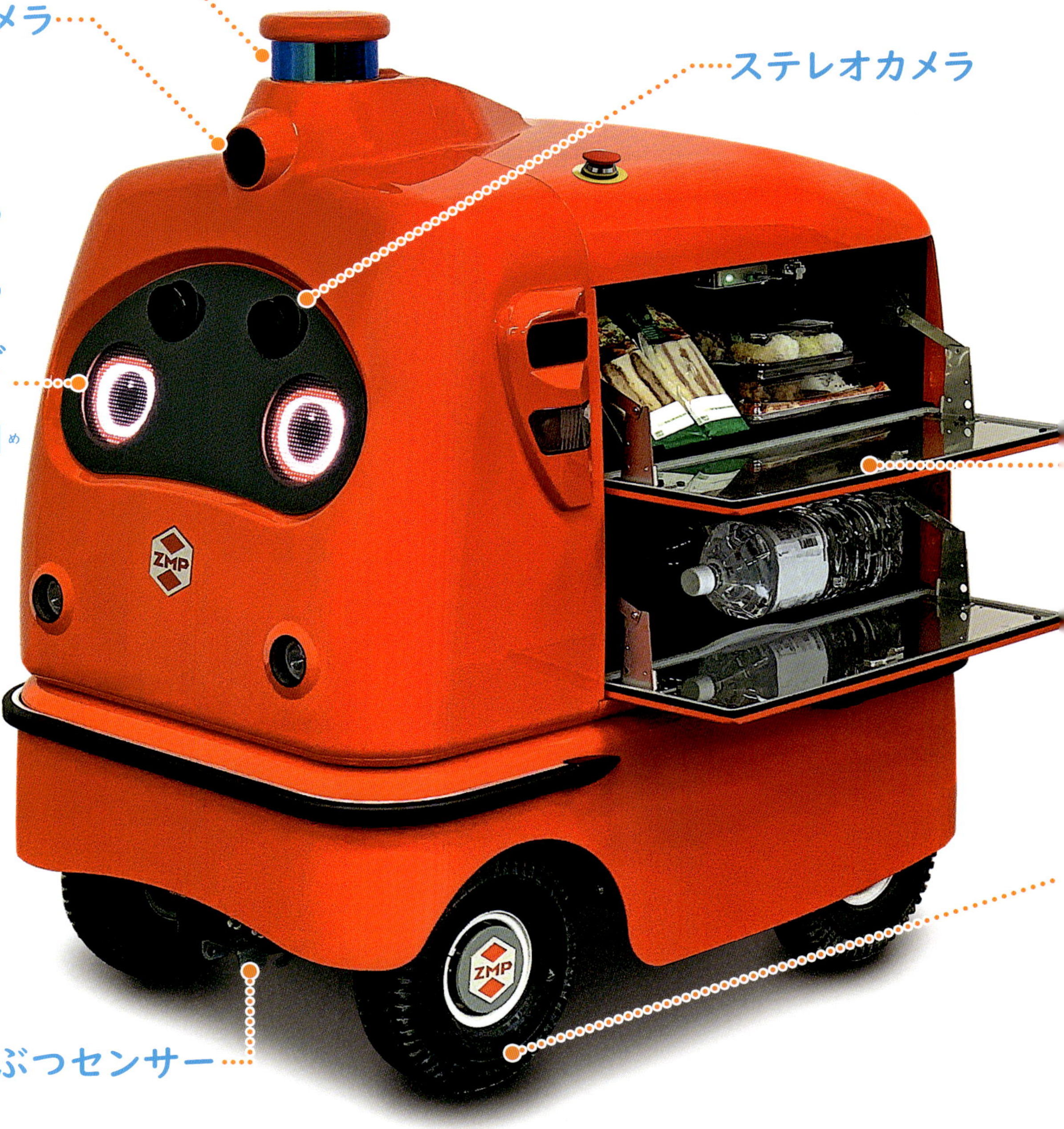
フロントカメラ
ステレオカメラ
しょうがいぶつセンサー

くるくるうごく目《め》

？近《ちか》くに人《ひと》がいるところではいたつをする**ときに、**すすむ方《ほう》に目玉《めだま》がうごいて、「まがります」と声《こえ》をかけながらくばる**ことができます。**

Miimo
ミーモ

こんなロボットです。

このロボットは、
しばをかりとって**くれるロボットです。**

どんなときに、何《なに》をたすけてくれるのでしょうか。

このロボットがあれば、
? 草《くさ》がのびてしまった**ときでも、**
きれいにかってもらう
ことができます。

あんぜんに作《さ》ぎょうするためのセンサー

? しばの上《うえ》にものや小石《こいし》がある**ときでも、**
センサーが見《み》つけて、止《と》まったりよけたりしながら、
あんぜんに作《さ》ぎょうをつづける**ことができます。**

上《うえ》から見《み》ると

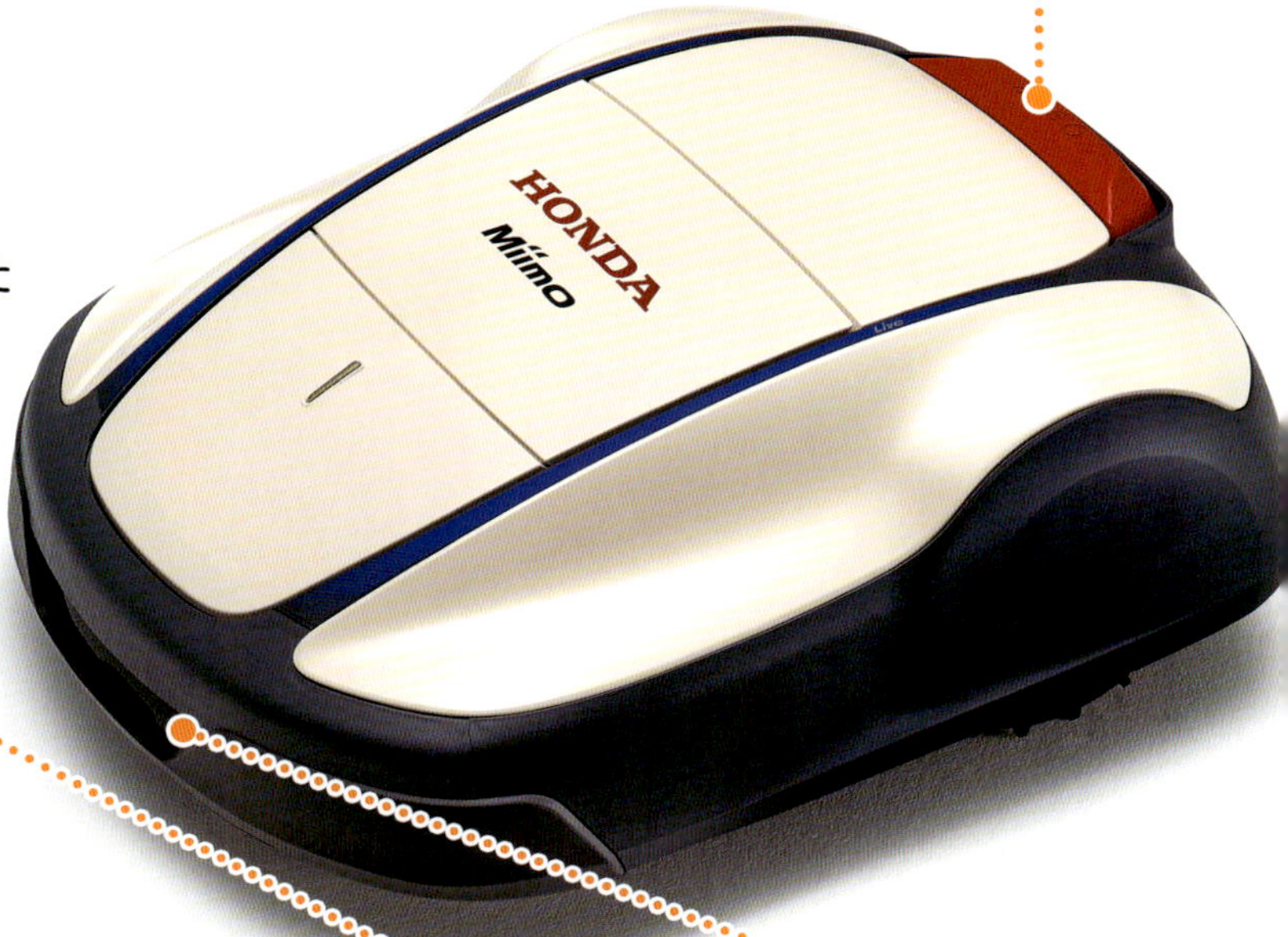

ストップボタン
HONDA
Miimo

走行用《そうこうよう》モーター

人《ひと》がかりづらいしゃめんにはえたしばをかる**ときでも、**
モーターが力強《ちからづよ》くうごいて、ぐいぐいのぼりながらかる**ことができます。**

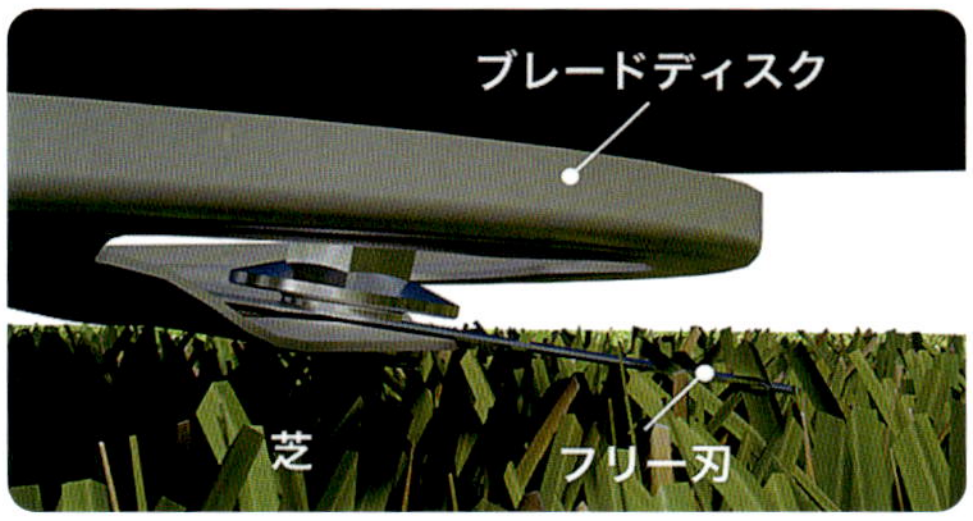

ブレードディスク
芝
フリー刃

しばをかりとるは

高《たか》さのちがうしばをかる**ときでも、**
三《みっ》つのブレードディスクについたはが回《かい》てんして高《たか》さをそろえるため、きれいにかる**ことができます。**

中《なか》を見《み》ると

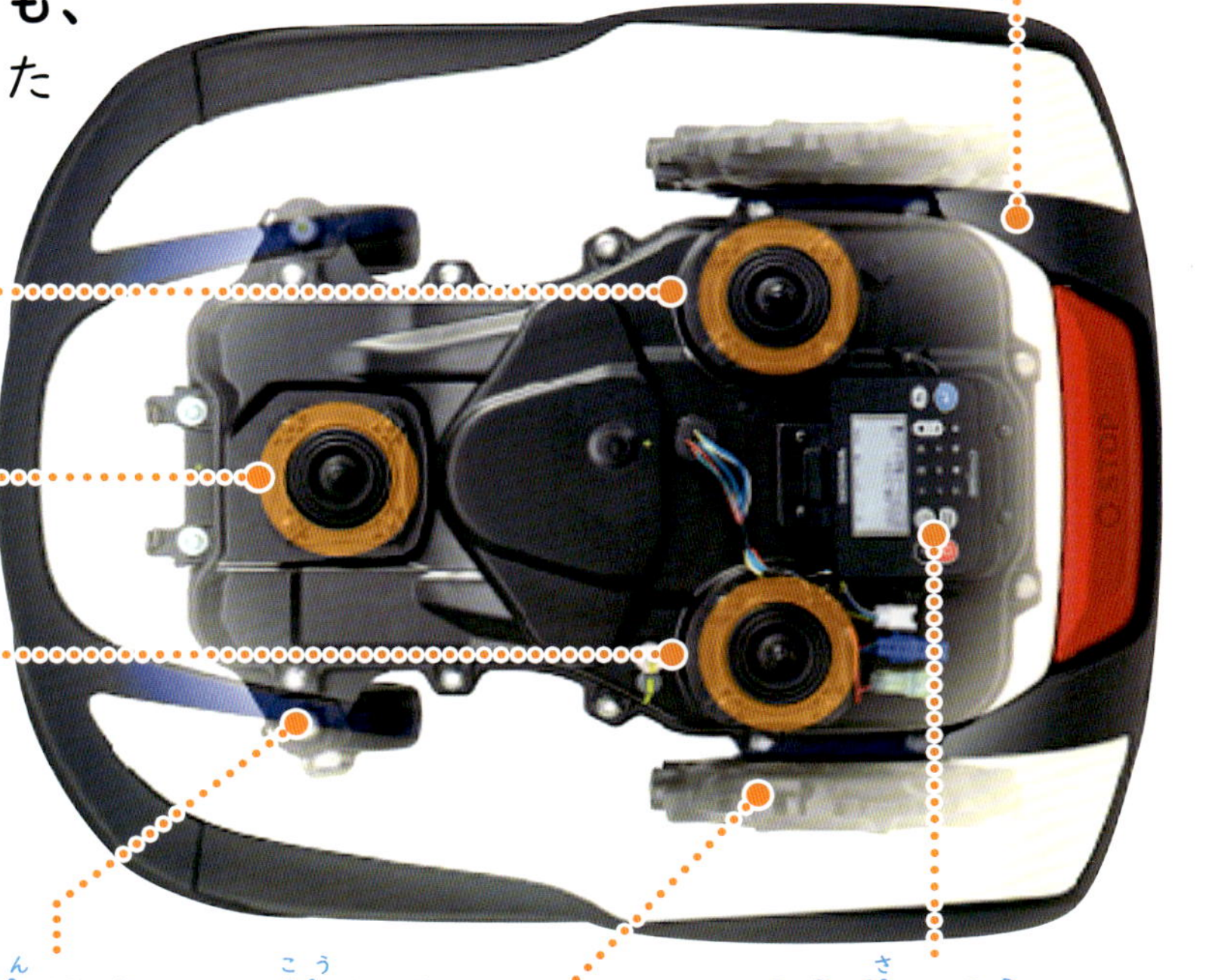

前《ぜん》りん
後《こう》りん
そう作《さ》パネル

ロボデータ

名《な》前《まえ》	Miimo《ミーモ》
かいはつ	本田技研工業《ほんだぎけんこうぎょう》
大《おお》きさ	高《たか》さ やく27センチメートル
	おもさ やく12キログラム

はたらいているようすを見《み》よう

Pepper
ペッパー

こんなロボットです。

このロボットは、人《ひと》といっしょにべん強《きょう》して**くれるロボットです。**

どんなときに、何《なに》をたすけてくれるのでしょうか。

このロボットがあれば、

？先生《せんせい》がいない**ときでも、**楽《たの》しくべん強《きょう》を教《おし》えてもらう**ことができます。**

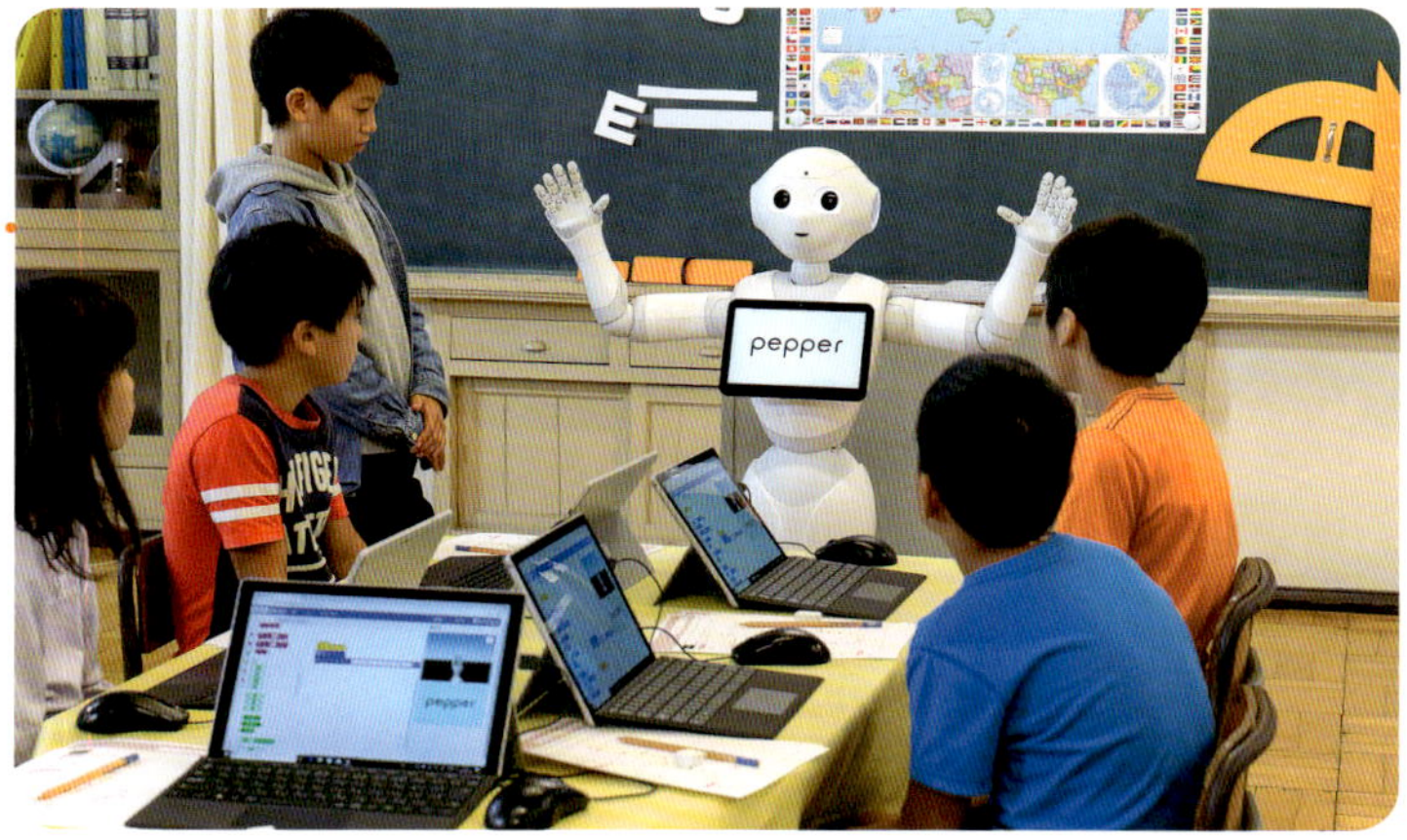

会話《かいわ》のための
スピーカーとマイク

？わからないことがある生《せい》とがいた**ときに、**しつもんを聞《き》き、てき切《せつ》に答《こた》える**ことができます。**

ロボデータ

名《な》前《まえ》	Pepper《ペッパー》
かいはつ	ソフトバンクロボティクス
大《おお》きさ	高《たか》さ やく120センチメートル
	おもさ やく29キログラム

はたらいている
ようすを見《み》よう

気《き》もちを読《よ》みとるカメラ

会話《かいわ》が聞《き》きづらいような場《ば》しょにいる**ときでも、**あい手《て》のかんじょうや気分《きぶん》によりそったへんじをする**ことができます。**

気《き》もちもあらわすディスプレイ

言《こと》ばが通《つう》じない人《ひと》がいる**ときでも、**ディスプレイの色《いろ》をかえることで、気《き》もちをつたえ、コミュニケーションをとる**ことができます。**

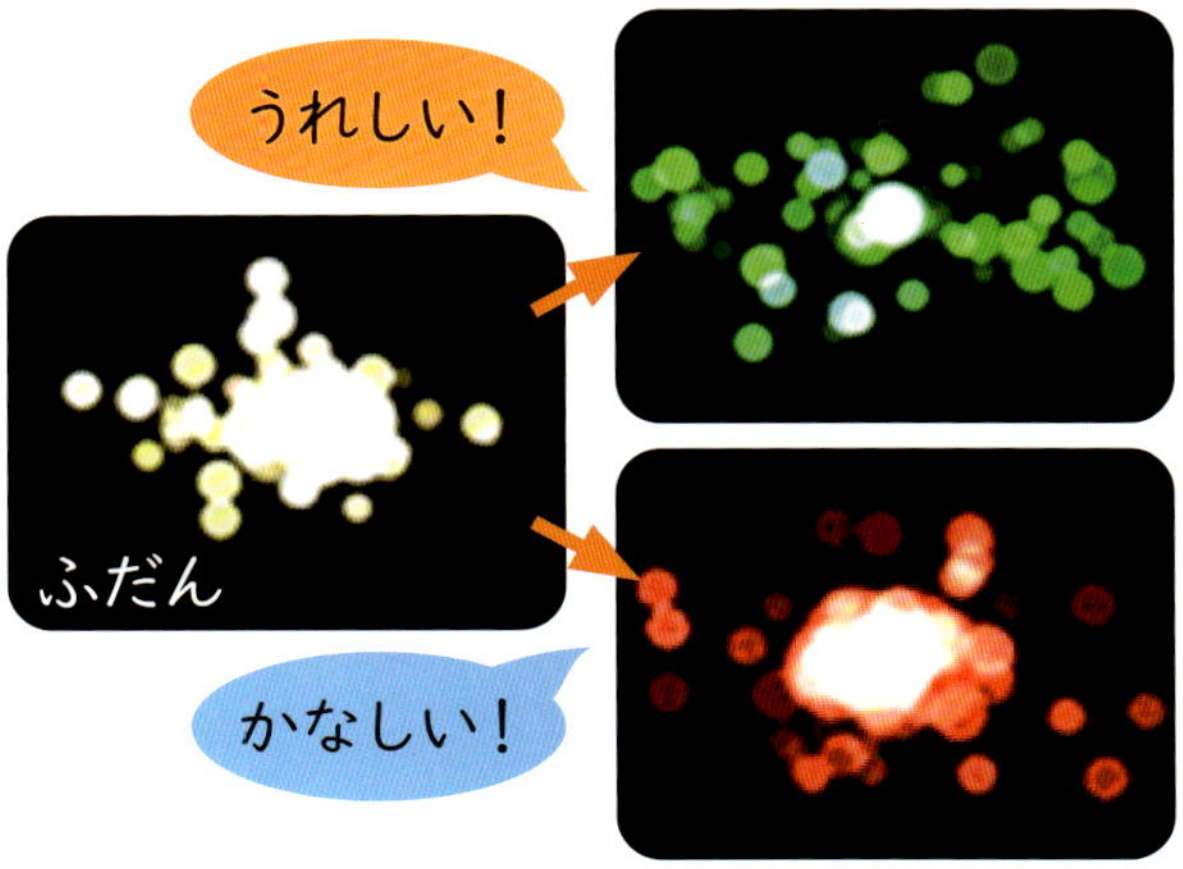

体《からだ》のあちこちにセンサー

自《じ》ゆうにうごき回《まわ》れる車《しゃ》りん

Root
ルート

こんなロボットです。

このロボットは、プログラミングで
絵《え》や図形《ずけい》をかいて**くれるロボットです。**

どんなときに、何《なに》をたすけてくれるのでしょうか。

このロボットがあれば、
プログラミングをべん強《きょう》したい**ときに、**
パソコンやタブレットをつかって
楽《たの》しみながら、学《まな》ぶ**ことができます。**

自分《じぶん》でできるプログラミング

プログラミングがにが手《て》な生《せい》とがいる**ときに、**
アプリでロボットをうごかしながら、
プログラミングのき本《ほん》を
べん強《きょう》させる**ことができます。**

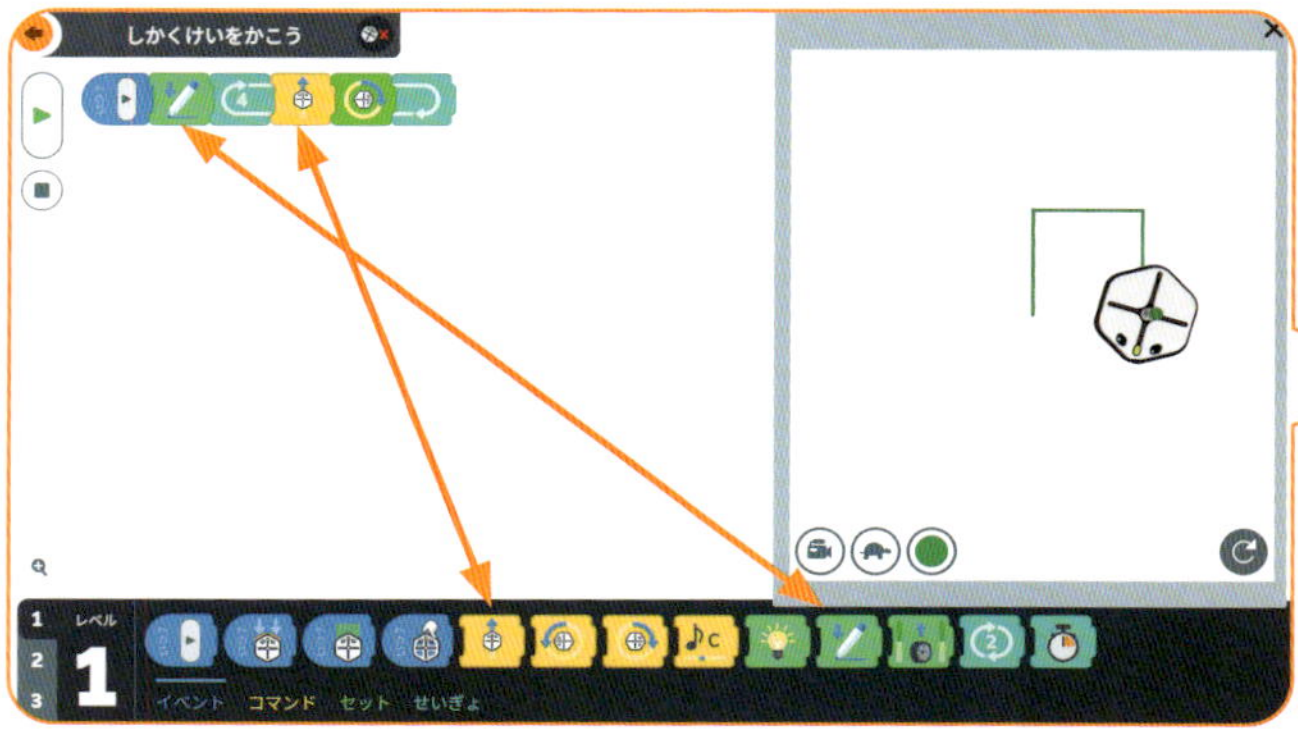

絵《え》をかくマーカー

❓むずかしい図形《ずけい》をかく**ときでも、**
かんたんなそう作《さ》をおぼえるだけで
きれいにかく**ことができます。**

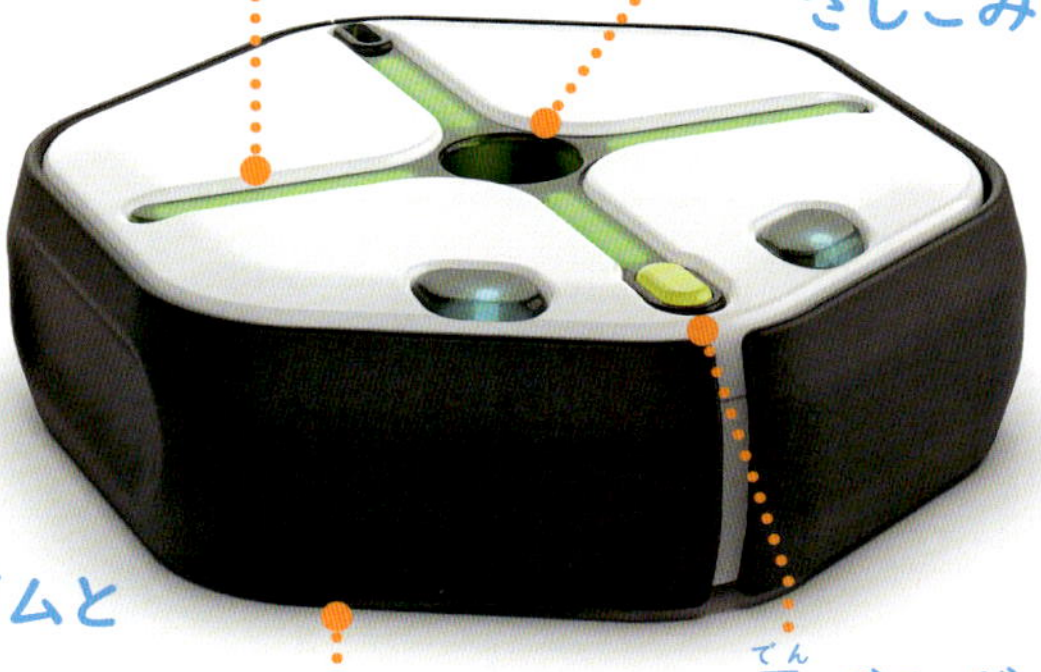

どう作中《さちゅう》に光《ひか》るLED《エルイーディー》
マーカーのさしこみ口《ぐち》
うらにけしゴムとマグネットつき
電《でん》げんボタン

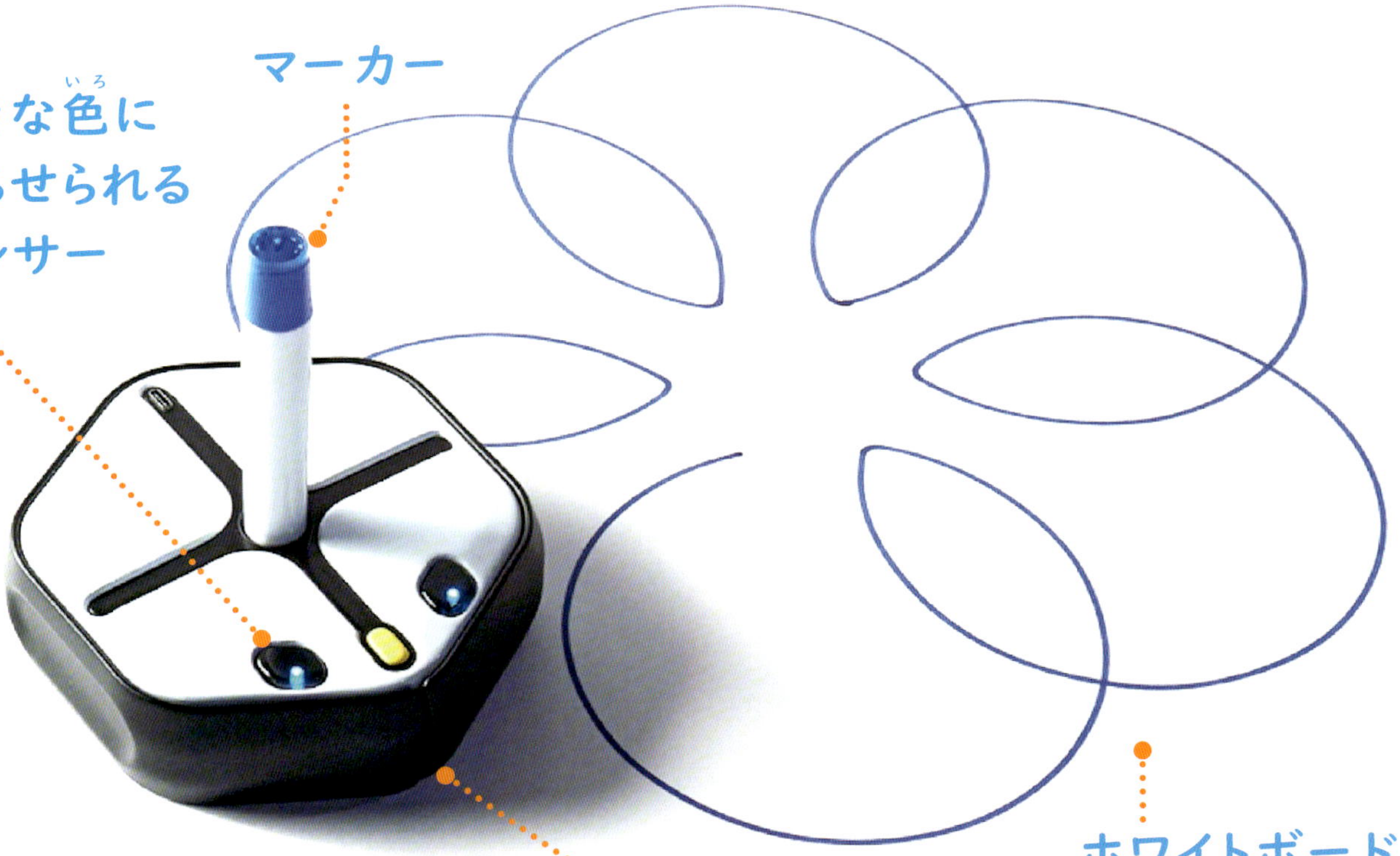

マーカー
すきな色《いろ》に光《ひか》らせられるセンサー
ホワイトボード

うらがわについただんさセンサー

❓せまいつくえなどで絵《え》や図形《ずけい》をかく**ときでも、**
かたむきをけん知《ち》しながら、
らっ下《か》せずにかきつづける**ことができます。**

ロボデータ

名前《なまえ》	Root《ルート》
かいはつ	アイロボット
大《おお》きさ	高《たか》さ やく4.5センチメートル
おもさ やく500グラム	

はたらいているようすを見《み》よう

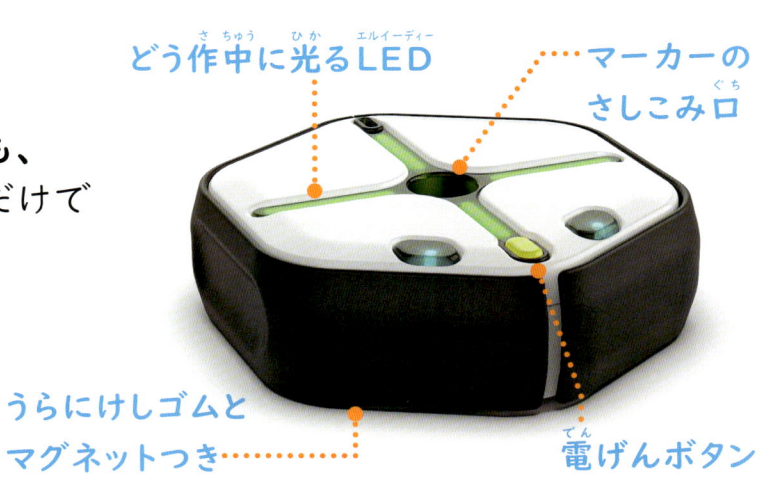

あなたは、どんなロボットがあったらいいなと思《おも》いますか？

町《まち》・学校《がっこう》へん

この本《ほん》を読《よ》んで、町《まち》で、学校《がっこう》で、ほかに、どんなロボットがあったらいいなと思《おも》いましたか。あなたがしょう来《らい》、作《つく》られてほしいと思《おも》うロボットを、いろいろと考《かんが》えてみましょう。

いっしょにサッカーをしてくれるロボット

——チームの人数《にんずう》が足《た》りないときにたすかるから

学校《がっこう》にわすれものをとどけに来《き》てくれるロボット

——ひつようなものがなくてべん強《きょう》ができないときにたすかるから

きめられた場《ば》しょへものをとどけるDeliRo《デリロ》（20ページ）のぎじゅつをおう用《よう》すれば、わすれものや、かさばるものを学校《がっこう》にもって来《き》てもらえるようになるかもしれません。

いっしょにものをさがして見《み》つけてくれるロボット

——おとしものをしてこまっているときにたすかるから

足《あし》のふ自《じ》ゆうな人《ひと》をのせてのぼってくれるロボット

——かいだんしかないときにたすかるから

なか直《なお》りを手《て》だすけしてくれるロボット

——友《とも》だちとケンカをしてしまったときにたすかるから

木《き》にのぼったりしてかんさつしてくれるロボット

——クワガタムシが高《たか》い木《き》の上《うえ》にいるときにたすかるから

れつにならんでじゅん番《ばん》をまってくれるロボット

——ゆう園《えん》地《ち》やお店《みせ》がこんでいるときにたすかるから

ただ今《いま》、かいはつ中《ちゅう》！

話《はな》したり、聞《き》いたり、気《き》もちをあらわしたりするPepper《ペッパー》（24ページ）のぎじゅつをおう用《よう》すれば、ケンカした友《とも》だちともう一《いち》ど、なかよしにしてもらえるようになるかもしれません。

みんなをたすける ロボットずかん さくいん（五十音《ごじゅうおん》じゅん）

2 町《まち》・学校《がっこう》へん

あ

か

さ

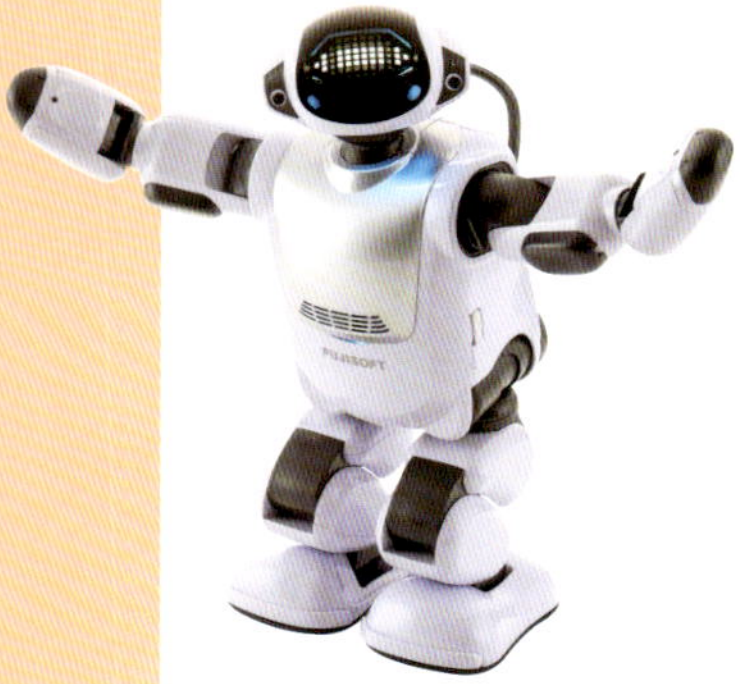

SECOM
cocobo

監修
先川原正浩（さきがわら・まさひろ）

1963年（昭和38年）、東京都生まれ。千葉工業大学未来ロボット技術研究センター（fuRo）室長。千葉工業大学大学院金属工学研究科修士課程修了後、電気電子系の書籍企画・編集に従事し、オーム社の『ロボコンマガジン』編集長を務める。その後、fuRo室長に就任。また二足歩行ロボットによる格闘競技大会「ROBO-ONE」の委員会副代表をはじめ、多くのロボットコンテストの委員・審査員を務めるほか、国立科学博物館の「大ロボット博」関連企画を手がけるなど、子どもたちにわかりやすくロボットを説明・紹介する活動を積極的に続けている。

編集
株式会社クウェスト フォー
入澤 誠　山口邦彦　伊東美保　八田宣子

ブックデザイン
株式会社ダグハウス
佐々木恵実　松沢浩治

編集担当
門脇 大

写真・編集協力一覧
アイロボットジャパン合同会社
コネクテッドロボティクス株式会社
セコム株式会社
株式会社ZMP
ソフトバンクロボティクス株式会社
トヨタ自動車株式会社 未来創生センター
日本科学未来館
株式会社日立製作所
富士ソフト株式会社
ベア・ロボティクスジャパン合同会社
本田技研工業株式会社
株式会社モリロボ
ugo株式会社

表紙写真一覧
[一段目右より]
ケパラン、Root、Pepper
[二段目右より]
PALRO、DeliRo
[三段目右より]
ugo、ソフトクリームロボット、cocobo
[表紙裏]
EMIEW3
[背表紙]
PALRO

みんなをたすける **ロボットずかん**
②町・学校

2025年2月　初版第1刷発行

監修　先川原正浩

編集　株式会社クウェスト フォー
発行者　三谷 光
発行所　株式会社汐文社
〒102-0071　東京都千代田区富士見1-6-1
TEL 03-6862-5200　FAX 03-6862-5202
https://www.choubunsha.com

印刷　新星社西川印刷株式会社
製本　東京美術紙工協業組合

ISBN978-4-8113-3204-8

ワークシート

あなたがあったらたすかるなと思《おも》うロボット

名前《なまえ》
年《ねん》
組《くみ》

わたしは、

（しらべたロボットの名前《なまえ》を書《か》きましょう）

というロボットについてせつ明《めい》します。

このロボットは、

（何《なに》をしてくれるかをしらべて書《か》きましょう）

くれるロボットです。

このロボットがあれば、

（どんなときにたすけてくれるかをしらべて書《か》きましょう）

ときでも、（ときに、）

（何《なに》をしてくれるかをしらべて書《か》きましょう）

ことができます。

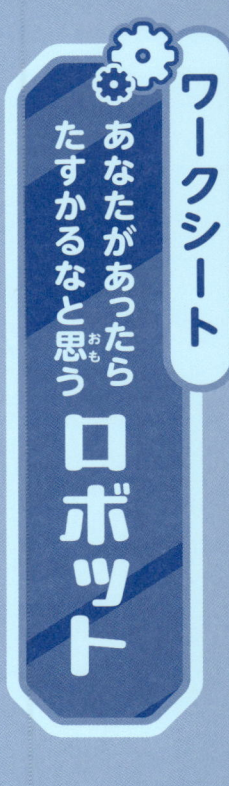